고양이의 시선

고양이의 시선

발 행 | 2024년 03월 27일
저 자 | 생각뿐인 고양이
펴낸이 | 한건희
펴낸곳 | 주식회사 부크크
출판사등록 | 2014.07.15.(제2014-16호)
주 소 | 서울특별시 금천구 가산디지털1로 119 SK트윈타워 A동 305호
전 화 | 1670-8316
이메일 | info@bookk.co.kr

ISBN | 979-11-410-7773-0

고양이의 시선

생각뿐인 고양이 지음

CONTENT

고양이는 어떤 삶을 살까

고양이는 아니지만 고양이를 너무 좋아하는 나머지
고양이라는 필명으로 글을 쓰며
생각만 많아 글을 담아내어 봅니다.

누군가에게 위로를 주고 싶었고
누군가에게 공감을 주고 싶었습니다.

아픔을 함께 나누고, 아픔에 같이 들어가고
행복도 함께 나누는 글 속에서

조금이나마 슬픔을 덜어낼 수 있다면
조금이나마 미소를 지을 수 있게 한다면

그것만으로도 행복할 것입니다.

1. 고양이의 일상

친절

친절은 무기다
얕잡아 보이는 무기가 아닌
부드러운 무기

그로인해 마음은 무뎌지고
때로는 속아넘어가고

누군가에게는 당연하지만
누군가에게는 관심으로 다가가는
매력적이며
치명적인 무기

부드러움 속에 숨은
깊은 가시는
친절을 표현한다

운동화

화창한 날씨
꼬질한 운동화 한 켤레
빈티지보다
밝고 화사한
새 신발이
오늘의 마음에 들었다.

무작정 찾아간
발들의 도시
인사를 하며
발들과 크기를 맞추고
찾아낸 새 신발

오늘의 날씨에 맞는
오늘의 기분
오늘의 마음

졸음

나른한 햇살이 들어도
영롱한 달빛이 들어도
날카로운 신경 속에
눈이 감기지 않던
그 시간들은

마치 꿈이었던 것처럼
눈이 감겨버린다.
졸음을 모르던 그 때는
무엇이 부족하고
비어있었길래

지금은 그대가 있어
졸음이 찾아오고
잠이 찾아온다.

자신감

불필요한 말들 걷어내고
부정의 안개를 지나가서
마음을 돌아보면
아직 갇혀있는 것

생각보다 잘 되는 것들과
위험하지 않은 것들
그리고
잘하는 것들

너는 잘 해내리라
그 누구보다
스스로 믿고 나아가니까

안될 것은 확실하게 알며
도움을 청하는
자신감 넘치는
너니까

존재감

옆에 있는 나는
보이지 않아서
어깨가 밀쳐지고
다리가 걸리고
그렇게 지나가도
돌아보는 이 없다.

흉이 지고
멍이 들고
앞으로 넘어지고
뒤로 넘어져도
돌아보는 이 없다.

비가 내리고
눈이 내려도
우산 씌워주는 이 없다.

너란 존재가 없어서
나란 존재가 없다.

국수

유난히 길던 겨울의 밤이다. 여느 때와 다름없는 밤
이라 생각했지만, 유난히 길었다.

퇴근 시간, 시린 손 붙잡고 호호 불며 어둑한 길을
걸어간다.

길을 지나가는 중 홀로 밝게 빛나는 가게 한 곳.

호기심에 이끌려 문을 열어보니 따뜻한 온기와 함께
국수 냄새가 퍼진다.

듣기 좋은 사람들의 소리와 모락모락 올라오는 연기

그릇 속 국수 한 가닥들이 입으로 들어간다.

어린아이들도 볼이 뜨겁게 익어가고 어른들도 얼굴이
빨갛게 익어간다.

차가운 도시를 지나가다 발견한 이 가게에는 사람의
온기가 담겨있었다.

내 앞에 나온 국수 한 그릇.

그릇 속에 담긴 건 국수가 아닌 사장님의 온기다.

뜀박질

쉼 없이 마라톤을 뛰어가듯
숨이 차도록
뜀박질해서
도착했다고 생각했는데

결승전 뒤에
또 다른 결승전이 보였다
같이 뛰어왔던 사람은
나는 여기까지

뜀박질을 멈춘게 아닌
하나의 과정이다
그렇게 생각하자

잠시 앉아 주변을 둘러보자.

카페

멀리 떨어지지 않은 곳에서
작은 여유와 함께
자리에 앉아

마실 만한 것과
먹을 만한 것과
즐길 만한 것을
상 위에 올려두고

먹는 둥 마는 둥
창 밖을 바라보며
느껴본다

천천히 흘러가길 바라는
시간과 함께

책장

먼지가 쌓여버린 곳
오래된 종이들
색이 번져버려

먼지 덕분인지
손 때가 묻어난건지
문득 생각해보다

손가락에 종잇가루
하나 없던 걸 떠올려 본다.

눈은 디지털 세상에 박혀
언제 먼지가 쌓였는지

알지 못했었다.
글을 잃어간다.

하루

어느 덧 훌쩍 지나가 버린다
어느 날은 매우 느리게
어느 날은 매우 빠르게

다른 누군가와 삶을 비교해보면
때로는 내가 빠를때도
때로는 내가 느릴때도

나이가 같다 생각하다 보면
하루의 시간이 다른 우리는
나이가 같지 않을지도

모든 하루가 똑같지 않아서
오늘이 느린 나
오늘이 빠른 나

시간

빠른 한걸음에 달려가는 너와
평범한 한걸음에 다가가는 너
그리고
한 번 크게 걸어가는 너

모두 한번 걸어가는 중
도착하는 시간이 달랐다.

도착하는 시간은 달랐으나
매번 만나는 순간이
반갑기만 하다

금방 지나가 버려도
우리는 다시 만날테니

순간에 얽매이지 말자

20년 뒤

10대에는
근사람 사람이 되어 있을거라

20대에는
사랑하는 사람과
아름다운 가정이 있을거라

30대에는
안정적인 직장과
양파같은 자녀들이 있을거라

그렇게 항상 상상하며 살아가다가
상상을 이룰 힘을
10대에 두고 와버린 건
세상 덕분인가
포기 덕분인가

물음

꽃 한 송이 손에 쥐고
등 뒤로 바짝 붙여놓고

저기 꽃 좋아해?
어떤 꽃을 좋아해?
꽃을 주는 사람은 어때?

머릿 속에 여러 말들이 떠오르다
결국 아무 말 없이
손에 쥐어준다.

그때의 물음은
잊혀지지 않을 것이다
말하지 못하여도

얼굴 붉혀진 상태
나를 쳐다보던 너
너에게 눈으로 던진 물음

커피

따뜻한 햇살
피어오른
커피

꽃봉오리를 따서
잔에 옮겨 담아
지긋이 눌러
잔에 따라준다

한 모금 목에 넘길 때
햇살이 담겨
몸을 데워준다.

나무

뿌리를 뻗어
걸어가는 나무야
어디까지 걸어갈지
아무도 모르는구나

어디까지 뻗어나가
보이지 않을 정도로
멀리 멀리 흘러가는구나

그 끝에는 붙잡고 있는
것들이 많아
더욱 떨어지지 않아
뒤집어보니

나였구나

기다림

자꾸만 가는 시선
세 개의 가시
돌고 돌아
마주치는 시간

1초의 시간 동안
수만가지의 생각이 돌아
돌아
가시들은 떨어진다

어디선가 떨어지고
어디선가 만나는 동안

한 차례 기다림
꽃밭을 떠다니는
나비의 하루가 되었다.

잠깐

깜빡
빛이 새어 나온다

깜빡
어둠이 흘러나온다

깜빡
웃음이 새어 나온다

깜빡
실소가 흘러나온다

본 모습은 깜빡

숨겨진 그림자에
잠깐

피어오르는 꽃봉우리
흰색과 검은색
범벅되어버리네

섬

오래된 이야기
하늘을 날아다니며
세상을 돌아보던
한 소년

날개가 부러질 때까지
자유를 만끽하며 살아가다
꺾일 줄 모르고
더 높이
더 세차게

떨어져버린 흙더미 위
다시는 가지 못할
다시는 가지 않을
쳐다만 보며

이내 섬이 되어버린
소년의 이야기

서랍

필기구나 들어있을 줄 알았건만
속옷들이 가지런히
줄지어 앉아있었다.

사용하는 방법
자유겠지만
텅 비어버린
옷장 속 서랍대신
책상 서랍 안이라

얼굴을 붉히고
뒤 돌아 설 수 밖에

봄밤

어쩌면 쓸쓸하기도 하며
몽글몽글하기도 한
낮과는 다르게

여느때와 다름없는
조용한 밤이 찾아온다

계절에 따라 느끼는 감정들
밤이 찾아오면
하나로 모여들고
눈을 감고
천천히 스며든다

차가운 햇빛
구석구석 스며들다
아침이 찾아올 때
떠나가는 감정들 사이
달을 맞이한다.

일시적인

순간적으로 눈에 보였을 때
시간은 멈추듯 흘렀다
환상을 보는 듯
머릿 속으로 스쳐 지나가는 이들
이미 웃고 울고
살지 못했던 삶조차
지나간다

일시적인 반응
정신을 차렸을 때
다른 사람의 어깨에 부딪히고
넘어진다.

다시는 느끼지 못할 감정과
현상
자리를 뜨며 희미하게
웃어본다

집안일

바닥을 닦고
빨래를 하고
설거지를 하며
더러운 것
털어내고 지워낸다

구석구석
매일같이 청소하다보면
그 구석에 박혀있던
기억 한 조각

매일같이 하던
집안일
집을 청소하기 위해
아니
기억을 지우기 위해

일어난 적 없는 일

지구와 같으면서
또 다른 행성
다른 공간에 있으면서
서로에게 영향을 주는
오른손을 내밀고자 하면
왼손이 나가는

나와 똑같은 가족
똑같은 웃음
똑같은 DNA
말 한마디
토씨조차 틀리지 않고

그런 곳에 있는 나와 대화하는
그런 일이 일어났다

무심히

길을 지나가다
바라보는 것들
시선이 이끄는 대로

도보 사람
나무 건물
바퀴 달린 것들
구름 바람
유심히 바라보다
버려진 것들

어느 순간
마음은 없이
바라보게 된 모든 것들
그렇게
상상은 없어지고
현실로 녹아든다

자취

오랜만에 찾아온 산
푸른 나무들은 모여 있고
서로의 옷을 자랑하며
시원한 웃음소리
바람과 함께
흘려보낸다

유난히 눈에 띄는 나무
누군가 자취를 남기고
떠난 그 자리

아마 알고 있었나보다
다시 돌아올 것

바람소리 따라
시선을 옮겨도
없어지지 않을
흔적

2. 고양이의 마음

청소

매일 하겠다는 다짐 아래
쌓여만 가는 먼지들 보며
마음의 상태라고 하더라

마음이 어지럽지 않다면
깨끗할 것이라더라

말을 듣다보면
다시금 어지러워지고
청소는 내일

그렇게 하루하루 지나가다
돼지우리 같은 모습
마음에
돼지가 하나 살고 있더라

어색하다

아마 오랜 시간 지났을 것이다
식탁에 놓은 밥그릇 두 개
누렇게 변색되어
먼지가 쌓였을 정도

왼손인지 오른손인지
기억이 안 날 성도
비어있던 시간

감싸오던 순간
어색하다

읽다

읽는다는 것
눈에 보이는 것만은 아니다
종이에 적힌 글씨들
소리내서 읽는 것보다
머릿 속에서 읽으며
눈을 감고 상상해보며
영상을 만들어내는 것.

그렇게 글을 읽다 보면
표정을 읽고
마음을 읽고
너와 나를 읽는다.

불안정

숨이 벅차오른다
숨이 막힌다

벽과 벽이 맞닿아
서로 이야기를 하는 모습
그 소리가 들리는 순간
긴장감은 멈추지 않는다

혈관 속 피는 빠르게 돌고
없는 산소를 채우려
이산화탄소를 옮겨가며
숨이 막혀간다

잠깐 잡은 손
산소가 흘러와
안정되어가는
나를 바라보는 너

웃음

아무것도 아닌
일
웃음이 나온다는 건
그만큼 관심이 있다는 걸까
정말 재미있다는 걸까

정말 웃음이 나오는 일
웃지 않는다는 건
무슨 일이 있어서 일까
나와 다른 걸까

웃음으로 누군가 보노라 하면
진심으로 받아드리기 어려워지는
그 순간에

착각에 늪에 빠져있다가
허우적거리며 나오는 꼴
웃음이 번진다.

익숙한 것

빈 자리
느껴지지 않을 때면
과연 익숙했던 것일까

빈 자리
느껴질 때는
너무 익숙했던 것일까

때로는 익숙한 것
싫게 느껴지다가도

익숙한 것
필요하게 느껴지더라

허나
떠난 것을 다시 붙잡는 건
마음이 더욱 아플 뿐이었다.

손을잡다

잡아낸 것
손이었을까
발이었을까

때로는 부드럽기도 하고
때로는 거칠기도 하고
가끔은 미끄럽기도 하던
그런 손이었을 텐데

오늘은 가시가 무성하게 핀
장미 한 송이가 되어
용기가 없어
잡지 못했더라

손을 잡았으나
상처가 난 그 때

진심

마음에 고이 담아두고
천천히 꺼냅니다

조금은 아플지도 모르고
조금은 감동적일지도 모르지만
아주 조금씩
천천히 꺼냅니다

뱉어내면 사라질 연기
꾹꾹 눌러담아
꺼내봅니다

다른 마음에 닿을지 모르지만
조심스럽게 천천히
연기
뱉어봅니다.

칭찬

칭찬은 고래도 춤추게 한다
춤추지 않는 그 어떤 것
춤추게 하는
그 힘이 숨겨져 있으나

때로는 상대방
오만하게 만들어
다른 이
얕잡아보기도 한다

양날의 검 속에서
중심을 찾아가는 것
칭찬 받는 이의 몫

당신
해내고 있는가

자정

눈을 감으면
천천히 흘러가리라
생각하던
찰나의 멍청이

눈을 뜨는 순간
자정이라는 섯
너는 모르리라

가장 어둑한 순간
떠내려간 모든 것들
다시 올라오는 순간

돌아오지 않는 그것
어둠과 함께
걷어지네

사진

서로가 웃는 얼굴
손을 맞잡고
눈을 바라보며
무슨 대화를 하는지
듣는 것 같은 사람을 보다
피식 웃는다

장면 속 두 사람
지금은 볼 수 없지
오직 이 네모 안
서 있는 그 자리

똑같은 공간
똑같은 옷
매일 웃고 있느라 힘들겠네

그래도
그 안에서 잘 살아가기를

불행

때로는 먼저 알려주고 오기에
대비하고 기다리기도 하지만
알려주고 오는 때
많지 않다.

아무리 여러 생각들을 정리하고
여러 방안들을 떠올려도
사람이 막지 못하는
자연재해로 날아와 버린다

그러나
누군가에게는
행복으로 다가가는
아이러니한
너

헤어짐

깃발이 흩날리는 그런 날
손수건 한 장
자유로이 하늘을 헤엄친다

노을이 지는 시간
모습을 감추는 해와 같이
눈동자
모습을 감춘다

눈물이 흐를 시간도 없이
비행기는 떠나간다

어쩌면
눈물을 닦을 손수건이 없어
흐르지 않는 것이라

떠나는 뒷모습
온데간다 없이
도화지를 떠나간다

모서리

항상 중앙에 있는 사람
사람들에게 가려져
보기 힘들때도 있으나
모서리를 보기 위해
높은 곳에 설 때면
반갑고 떨리는 마음
눈치채지 못하게 붙잡고
바라본다

가까이 다가가지 못함은
그 빛이 줄어들까
흉이라도 낼까

그저 모서리를 봐주는 것만으로
행복을 느껴야 함은
비참하고도
아름답다

사소함

깜빡거리는 눈짓
살짝 움직이는 입술
숨 쉴 때마다 움직이는
상체와 콧등

사소한 움직임들이
눈에 선명하게 들어오는 순간
알게되었다

시간이 멈추는 것 같은 느낌
모든 것이 천천히 보일 때
나는 너의 세계로
들어갔다는 걸

깨달았다

걷다 보면

걸음걸이 한 폭
유심히 살펴보던 시간
조금 더 빠르게
부러워하는 시선을 받으며
걷다보면
누군가 말해줄거라 생각했다.

너를 보는 게 아니야
너의 보폭을 보는 게 아니야
그저 지나가는 눈길이야

과민신경
나의 걸음걸이
그렇게 걷다가
만들어졌다.

사막

흐르는 모래들 사이
반짝이는 빛
뜨거운 열기 뒤로하고
지평선을 보며 걸은
오랜 시간

때로는 갈증에 시달리고
지겨운 환각에 치이며
걸어가던 끝
오아시스도 아닌
반짝이는 빛
눈물을 흘리게 한다

아
사막의 나비와 같은
당신에게
흐르는 발걸음
움직인다

텅 빈 하늘

맑고 고요하다
구름 한 점 없이
오직 태양과 나의
시간

비었다고 하기에는
너무 꽉 찬 하늘
그러나
모두 텅 비었다고 말한다
머리는 가슴으로 들어가
속을 바라본다

텅 비었네
맑지도 고요하지도 않은
텅 빈 하늘

소꿉친구

어릴 적에는 참
잘 놀기만 했었지
어떤 이해관계도
사실 크게 필요하지 않았지

그냥 친구라는 이유
친구라는 존재
항상 놀 수 있었기에
좋았었지

어쩌면
내가 밀어내는 걸지도 몰라
이해관계가 필요해서

성숙하기 전
그때의 그 마음
친구를 보고싶다.

익숙한

언제든지 옆에 있을 것 같던
어디로도 사라지지 않을 것 같던
그러한 생각
소홀하게 되어버렸다
그리고 단 한마디
'너무 익숙해졌어.'
없어진 후에야 알게되는
소중함을 뒤로 하고
자신의 잘못을 떠올린다.
익숙함은 나를 속이고
상대방도 속이며
가시 박힌 발과 같지만
이내
그것 또한 익숙해져
무뎌져가는 저주

바다

햇빛이 부서지는 바다
흔들림 없는 물길
눈빛과 함께 부서진다
멍하니
바라보다
몸 속 몽글하게
피어오르는 사과 하나
보이는 건 부서지는데
보이지 않는 건 모여든다

눈물

너라는 이름에 눈물이 모였고
눈물로 다시 이름을 썼다
마르기 전
이름을 기억해두려고 했었다
마르지 않는 샘물처럼
물이 차오른다
마르지 않을 이름이여

고양이

파란 문을 열고 만난 고양이
기품이 가득 차 보여야 할텐데
슬픔만 덩그러니 놓여있다.
그 뒤로 보이는
아이의 형상
고양이는 길을 비켜주지 않았다.
목소리도 나오지 않는 방안
그저 멀리서 눈으로
마음으로
그 형상을 위로한다.

숨

하루가 마치는 순간
깊은 피로감을 가지고
문을 열고 들어온 그곳은
밖의 차가운 공기와
상반되는
따뜻한 숨
나를 반겨준다
온기에 이끌려
침대로 몸을 집어넣고
이불과 함께
그 숨은 나를 덮는다.

작가의 말

지금까지 글 쓴 것들을 모아서 묶어 보았습니다.
카테고리를 어떻게 묶어볼까 했었는데, 제 기준으로 일상과 마음으로 카테고리를 정했습니다.
글에는 행복이 묻어나는 것들도 있지만 우울함이 묻어나오기도, 자아성찰이나 마음을 돌아보기도 합니다.
개인적인 생각과 마음을 글로 적어보았지만 공감되는 것들 또는 비슷한 경험이 있으신 분들이 있으리라 생각합니다.
같은 마음을 나누고 같은 생각을 나누고, 고양이에 대해서 알아가는 시간을 가졌다면 좋겠습니다.